CW00341406

Our Resurrection and Big Brother

Qiamatuna Wal'akh Al'akbar

Mohamad al-Mail

قيامتنا والأخ الأكبر: رأي في جدلية القيام والقعود

الطبعة الثانية

مزيَّدة ومنقَّحة

1443هـ - 2022م

هيئة اليد العليا - إنجلترا، المملكة المتحدة

مقدمة الناشر

يضم الكتاب تسع عناوين رئيسية؛ يتناول الأول منها إعلان الكاتب الرجوع عن بعض ما كان يدعو إليه في كتابه الصادر عام 2018م، المعنون بـ «**عكازة مستحمِر**»، والآخر الصادر عام 2019م، المعنون بـ «**عمامة مسترجَعة**»؛ كدعوته فيهما للـ «**علمانية الجزئية**»، وتصريحه فيهما باعتزال الوَسَط الديني، بينما تتناول متون بقية الأقسام التي جَمَعت بين السيرة والتنظير معًا، أُسُس الثورة التي يعتقد بأنها وسيلة لتحقيق الدولة الإسلامية على أصولها.

«**رأي في جدلية القيام والقعود**»، هو العنوان الثانوي للكتاب الذي يعترف باستحالة تحقُّق دولة إسلامية في العصر الحديث؛ فيُعالِج البحث هذه الاستحالة برأيٍ جديد، في منطقة رمادية، مُتجاوزًا بذلك الجدل الكبير المحتدم بين من يُؤيِّد قيام من يتوق لرؤية دولة الإسلام، في عصر تخضع فيه حكومات العالم لما يُسمَّى بـ «**النظام الدولي**»، وبين معارضٍ للساعي إليها في كل العصور؛ لاعتبارات التقية، وحرص الأئمة أن يكون شيعتهم أحلاسًا لبيوتهم، أو لغياب شكل الحكم في الأخبار، وغموض صلاحيات الحاكم في زمن غيبة صاحب اليد العليا.

النقطة المحورية التي يدور حولها الكتاب، هي استحالة دمج مفهوم «**الدولة الإسلامية**» بمفهوم «**الدولة الحديثة**»؛ لأنهما ماهيتان مستقلتان، ولذا انتهى من حاول صياغة مفهوم لدولة إسلامية حديثة بالفشل على المستوى النظري والعجز على المستوى العملي.

يُقزِّم الكاتب محاولات من يأمل بإقامة دولة أكارم بالتودد لدولة الأراذل (الدول الغربية)، ويرى مثل هذه المحاولات كمن يُطلِق النار على قدميه أو كمن يكون بين فكَّي كماشة، ولا يجد مكانًا لقاعدة «**الميسور**» الفقهية مجالًا للانطباق.

يصل الكاتب إلى نتيجة واحدة؛ مفادها إسقاط الحضارة الغربية، باعتبارها نكسة وعائق للمشروع الإسلامي، لإيجاد مساحة لإقامة حكم الإسلام وتطبيق شريعته، بثورة وضع أصولها وقواعدها، لتضمن النجاح وتُعصَم من الهلاك أمام قِوَى الاستكبار المتغطرسة والمدمِّرة.

يعلن الكاتب بأن نظريته المُسمَّاة بـ«**النَّفير الثُبات**» و«**القيامة**»، ما هي إلا حل انتقالي لا أكثر، ولا يريد بها بيان ملامح الدولة الإسلامية، أو صلاحية الحاكم فيها، أو أسلوب القضاء، أو نظرية الاقتصاد، وهي نظرية قائمة على شكل من أشكال الجهاد.

ولا يريد الكاتب بـ«**الدولة الإسلامية**» الدولة الحديثة القومية (الوطنية)، فهو يرفض استعمال هذا المصطلح، ويستخدمه للمُجاراة، لا على نحو الإقرار بصحة الاستعمال؛ فالأصح أن يُقال «**الحكومة الإسلامية**» أو «**الحكم الإسلامي**» بدلًا من ذلك، حسبما يرى الكاتب.

وأما مصطلح «**الثورة**» و«**النضال**»، وغيرهما من المصطلحات التي تدور حول هذا المعنى؛ يريد بها الكاتب «**الجهاد**» بمعناه الاصطلاحي.

الناشر

***

الفطـرة المعجونـة تهفـو لأصلهـا دومًـا

أُسـتُبْدِلنا لفـترة، إلى أن ولَّـت البَلْـوى وبَرِحـت النَّكْبَـة، والحمـد لله أنهـا بخـواتيم الخـير والفـلاح انتهـت، وبالإيـاب إلى الأصـالة آلـت[1].. قـد تكـون ضـمانة دعـاءٍ قـديم، كـان بقلـب صـادق أخلـص في ابتهالـه إلى الله؛ رغبـة أن يجعلنـا ممـن ينتصـر بنـا لدينـه وألا يستعيض بغيرنا لأداء تلك المهمة الشريفة[2].

وشيء آخر هنـاك، حنين يتجاذبـك، هـي خِلْقَتنـا الأولى المعجونـة بـأزكى مـاء، والمخلوقـة من نَضح أَنْبَل طينة، من فاضلها[3].

سنتـان مـن الانبهـار بمغشـوش والاندمـاج بزائـف، تعرَّفـت فيهـا عـلى عـدو جديـد كنـت أجهـل أمـره، ثـم استسهلـت خطـره، فتنبَّهـت وفَطِنـت، وأجـدني اليـوم محاربًـا لـه، بـل منـافح ومقاتـل، وأعنـي بالعـدو هنـا الحداثـة وبَناتِها مـن عولمـة وعلمانيـةٍ وليبراليةٍ وغيرهن.

---

(1) راجع «عكـازة مستحمِـر»، و«عمامـة مسترجعـة».

(2) روى ثقـة الإسـلام الكلينـي في «الكـافي»، بسـنده عـن محمـد بـن مسـلم، عـن الإمـام محمـد البـاقر: «...واجعلني ممن تنتصر به لدينك، ولا تستبدل بي غيري».

(3) مضمون جمع من الأخبـار التـي تفيـد بـأن الشيعة خُلِقـوا مـن فاضـل طينـة أهـل البيـت؛ منهـا مـا رواه ثقة الإسلام الكلينـي في «الكـافي»، بسـنده عـن محمـد بـن مـروان، عـن الإمـام جعفـر الصـادق: «...وخلـق أرواح شيعتنا من طينتنا».

في الأمس، عَمِلت متطوِّعًا مع منظمات عالمية وأخرى محلية، للدفاع عما يسمى بـ «**حقوق الإنسان**»، حضرت مؤتمرات البرلمان البريطاني، شاركت مع المعارضة في الداخل، و في الخارج تحالفت مع نقابات معارضة لحكوماتها يغلب عليها صِبغة العلمانية والليبرالية، هذا بعد التيه والفراغ الذي وجدته عندي من بعد الصدمة التي نالتي من الوسط الديني وما يرتبط به، فرأيت أن مسيرة الكفاح يمكن استئنافها من هناك؛ فأنا المعروف بالنضال عن الحقوق مذ كنت ناعِم الظُّفْر، مُتَحمِّس للثورات، ومندفع للجهاد، مُتَقِد على الدوام لكل ما يَبْسِط العدالة ويُعْلي أمرها على المعمورة وأهلها.

لبست ثوبًا غير ثوبي، وتمنطقت بمنطق لا يليق بي؛ حداثة، وعلمانية، وديمقراطية، وحقوق إنسان، وحراك مناخي، ونسوية، وهرطقات أُخَر!

ويا لله وللحقوق! لا معيارية في انتخاب القضايا وتصنيف ما هو حقوق وما هو ليس بحقوق، وانتصار للظالم تارة، وأخرى للمظلوم، ودعم لما فيه انحراف للإنسانية وانسلاخ من الفطرة وهدم للمجتمع، تنظر فترى قُوَّاد الشقاء والتَيْه، أبالِسة تَدُبُّ على الأرض، وآخرين تَلَبَّست الشَيْطَنة أبدانهم وغَلَبت منطقهم.

أما اليوم، وأنا عائد إلى قومي، أريد الحرب على عدوِّنا هذا، فلا مجال للوعظ والتحذير، ولا حتى حروبًا فكرية تُجدي هنا؛ فالانحراف استفحل واستحكم.

ما الحياة إلا بالدين ومعه وفيه وله، وما لذَّة العيش فيها إلا أن تكون مع الأماجد، أئمة الهدى والذوات النورانية، محال معرفة الله، تَذُب عنهم وتُحامي عن شيعتهم،

وأنت تسمع صوتًا يهتف لك من هناك: «**طوباك طوباك يا دافع الكلاب عن الأبرار، ويا أيها المتعصب للأئمة الأخيار**»[1].

أما الكتاب، فإذا كان السر بالسر والعلانية بالعلانية بابًا للتوبة؛ فالمؤلَّف هذا إعلانها، وإن العار أهون من دخول النار، فإن ضرر الدنيا أهون من الآخرة وأسهل.

***

(1) خبر مروي في التفسير المنسوب إلى الإمام العسكري، عن الإمام علي الرضا.

الحداثة.. رعونة، هوج، خرق، وسخف

مُخطِئٌ من ظن يومًا بأن المستقبل للحداثة، وغلطان من رَجَّم بحتميها، وواهم من تكهَّن بأن الحضارة الغربية[1] أسمى ما بلغته الإنسانية.

وليس هذا كلام من يُحسَب على الأُصولية ويُنسَب إلى الراديكالية ويُلحَق باليمين المتطرِّف، بل هو من علمائهم ومنظَّريهم في الاجتماع والسياسة في عصر ما «**بعد الحداثة**» إذ تنبَّؤوا بـ «**نهاية الحداثة**»[2].

ليكن لتجربة ما فؤاد جَمَّة، فهي إن لم تتوافق مع يقين يدعمه فطرة، فهي خاسرة وبجدارة.. نطق ألْبِرت بالسهل الممتنع حين حارَ لُبُّه بعشوائية مجنونة: «**الله لا يلعب النرد مع الكون**»[3]! وقد لعب الإنسان الحديث وهو إله نفسه ومركز الحياة[4]، النرد والزهر مع الكون، ولذا لم تكن نتائج أعماله مضمونة مُتوقَّعة؛ فبقي المسكين صنيعة الحداثة، محرومًا من اليقين والثبات، وغدا من الهِمَّة إلى الكسل، ومن العزيمة إلى الضعف، ومن القوَّة إلى الإنهاك؛ فثورات الربيع الأوروبي التي نشدت الحرية للبشر انتهت باستعبادهم، وأرادت العقل لإزالة الفروق المعرفية

---

(1) أوروبا الغربية وأمريكا.

(2) راجع «نهاية الحداثة» لجياني فاتيمو، و«تدنيس العالم» لبيتر بيرجر.

(3) راجع «رسائل بورن-أينشتاين».

(4) الإنسان الحديث صنيع الحداثة إله نفسه باعتباره هو من يحدد غاياته في الوجود وليس العكس.

بين الأفراد جعلت من ارتهال الذهن وهشاشة الذكاء سِمَة للإنسان الحديث.. عِللٌ في الصحة العقلية، ووهن في التفكير، لا سعادة ولا هناء، بل قلق واضطراب.

أما المستقبل فهو للدين، وإن انكمش وعاد غريبًا، سيبقى وسينتهي هؤلاء على أيدي قلةٍ من الغُرباء المتهمين بالتورُّط بـ «**الميتافيزيقيا**» والمُعيَّرون بالرجعية[1]، وليس هذا من قبيل التنبُّؤ أو التخمين، بل هو وعد الله، والله منُجز وعده، كلام لا يفهمه طَغَام الناس ولا يستوعبه عبيدهم.

يبدو أننا أمام مرحلة جديدة، ينفضح فيها هذا السخف ويُخْزَى فيها هذا الخرق، وتصدق فيه وعود الدين، وإن قَلَّ أهله ونَدُرَ أنصاره وتَشَتَّت جماعاته، مع أن العالم لا يزال يتقد بالعاطفة الدينية على مستوى الأفراد؛ خذوني مثالًا على من انغر لفترة بالحداثة والعلمانية، ها أنذا قد عدت إلى أصلي وغيظي ممتلئ عليها، ذلك لأن مناط العَلْمَنة لم يتحقق على الأفراد (بالضرورة) وإن تحقق على مستوى المجتمعات.

أرادت الحداثة وبناتِها كسر خصوصية المجتمعات وشكلها وقيمها واحتياجاتها الخاصة بواسطة مشروعها «**القرية العالمية**»، وقد فعلت بقدرة «**الرأسمالية**»[2]، وسطوة عمالقة شركات التكنلوجيا ووسائلها للتواصل الاجتماعي[3]، بالتأثير على عالم «**ما قبل الحداثة**»، إلا أنها لم تتمكن تمامًا من طمس ذاكرة الأفراد الدينية

---

(1) إن أحوال الدنيا متشابهة؛ تقرأ التاريخ فتراه يعيد نفسه، وكأنك تعيش ذلك الزمان، فتستشرف المستقبل والوقائع قبل وقوعها.

(2) تهدف الرأسمالية إلى إنماء رأس مال المساهمين، وزيادة الاستهلاك والسلع بأي طريقة وثمن، ولو كان على حساب نهاية وجودنا.

(3) كـ «فيسبوك، و«تويتر»، و«سناب شات»، و«تيك توك».

وحماسهم لهذه الذاكرة كما فعلت في مجتمعاتهم؛ فبقيت استعمالات الذاكرة، وصوت الضمير، والنفس اللوَّامة، تغلب تارة وتُغلَب في أخرى، بمقتضى المعطيات وشكيمة كل فرد النفسانية.

إنه نعم، على مدى خمس قرون متتالية، لقد انتصرت هذه القيامة على المجتمعات (لا الأفراد بالضرورة) وأعادت صياغة العالم بتصديرها لثورتها بفضل ما سبق ذكره، إضافةً إلى العقلانية والغنى المعرفي والتقدُّم العلمي الهائل، واكتشافها لقوانين الطبيعة وتسخيرها لصالح الإنسان، ولكنها ولأنها تلعب النرد مع الكون، أضحى العالم من ورائها يسوده الفزع والكرب.. على وجلٍ مستمر!

إنك ترى تطبيقاتها المختلفة لنموذجها المعرفي والعلمي تحوَّلت إلى غلوٍ في المناداة بمطالب غريبة، حتى صار نموذجها عارًا وعبئًا عليها، ويتوقَّع المراقبون لا بنهاية حضارتها فحسب، بل يوشك أن ينتهي كوكبنا الأزرق الجميل معها بما يحتويه من حَجَرٍ ومدر[1].. في عالم الحقائق عندهم هو تَوجُّس مستحق؛ أسلحة نووية واختلال مناخي[2] وانقراض أنواع وانتشار أوبئة، وأما عند المؤمنين فالحقائق غير الحقائق عندهم؛ فالأرض كلها كُرَة بيد سيِّدها وإمامها، لا تسيخ وهو فيها، ولا ينتهي عمرها إلا بعد هلاكه، وذلك قبل أن يملأها قسطًا وعدلًا كما مُلئت ظلمًا وجورًا.

---

(1) يمكن اعتبار مشروع الحداثة غير المسبوق بأنه المقياس النهائي للإنسان، ولقد نَظَر بعض المفكِّرين إلى هذا المشروع من زاوية أخرى؛ فاعتبروه أنه نهاية التاريخ على نحو المدح والإعجاب!

(2) جرَّب الإنسان فكرة حظر التدخُّل بإنشاء المحميات الطبيعية؛ واستوعب بعدها كيف أن الطبيعة قادرة على معالجة نفسها بنفسها لو تُرِك أمرها إليها.

ثـم تعـال وادخـل عـالمهم، لـتراهم عيانًـا وهـم يعيشـون الانحـدار؛ لا يشربـون الحليـب لأن إنتاج الألبـان قاسـية عـلى المـواشي، وإذا صرفـوا النظر عـن مسـألة القسـوة، فهـي مـن جانـب آخـر ليسـت مُصَـمَّمة لجسـم الإنسـان! وأمـا البَيْض فهـو مصـدر غـذاء الكتاكيـت التـي سـتنمو بداخلـه وليسـت للإنسـان! وإن سـألت مـاذا نأكـل إذًا؟ أجـابوك: ببسـاطة، أي شيء لـيس حيوانًـا ولا يـأتي مـن حيـوان، وإن نشـدْتَ حُجَّـتهم يُجيبـوك: الحيوانـات لم تُصْـنَع للإنسـان، والسُّـود لم يُخلَقـوا للبـيض، والنسـاء لم يُخلَقـن للرجـال! هـذا الغبـاء نتـاج الحداثة، ومعتنقو هذه العقيدة من الأغبياء يُسَمَّون بـ «**النباتـيين**»[1].

وأنت في ماخورهم، تـرى هـذا القـرف وتسـمع هـذا الهُـراء، ارْجِـع بصـرك كـرَّتين تُبْصِـر جِنسًـا مُخْفِقًـا عـاجزًا عـن الإنتـاج والتوالـد، يفشـل الـذكر في أن يقـوم بـدوره كرجـل والأنثـى كـامرأة، يُـزاحِم الخُنْثـوي حَمَّامـات النسـاء، و«**الدَّايْـك**»[2] تصـطف في طـابور مرافق الرجال! هويات «**جندريـة**» لا تنتهي، وأزمة مراحيض ومرافق.. أَيٌّ لِأَيْ!

قنَّنـت هـذا الشـذوذ حكومـات العَلْمَنـة، وشـاركت فخـرهم بهـذه الانتكاسـة شـهرًا[3]، وصانته من النقد والثلب؛ فأنا تَميِيزي عندهم ومُجرم كراهية!

أمـا الأمومـة والأسرة، آه عـلى آه.. نَسَـويات يَطْمَحـن إلى المسـاواة المطلقـة بالرجـال، يُـرِدن الكَؤُود ويرغبْنَ بالمُضْنِ وشَصَب العيش!

---

(1) «Veganism»: الخُضْرِيَّـة أو النباتيـة الصرفـة. والكـلام عمَّـن يعتنقهـا عقيـدةً، ولـيس الكـلام عمَّن يتخذها أسلوب حياة لأسباب صحية وجيهةٍ يراها.

(2) «Dyke»: المرأة المسترجلة.

(3) «LGBTQ+ Pride»: احتفالات ومسيرات لمدة شهر يفتخر فيها الشواذ بشذوذهم.

أما «**البروليتاريا**»، فيومهم بات قريبًا.. شواغر للحديد، هي أقل منهم كلفة وأسرع منهم إنجازًا وأكثر منهم إنتاجًا؛ فما لأصحاب المال وأرباب العمل وصُداع كادحين وحقوق عاملين وإجازات موظفين؟

نشوة الخُيلاء، فلم تبلغ حضارة ما بلغته من قوة تدمير[1]، ولم ترقَ غيرها إلى ما ارتقته من ابتكار أساليب لإخضاع الأرض ومن عليها وما فيها.

كما أسلفت، توجُّه لتنميط الحياة، أي حضارة وثنية واحدة، ونظام عقائدي عالمي موحَّد مظلَّته «**الأمم المتحدة**».

وبين هذا وذاك، قوم منا كُركَّاب الصَّعْبَة، وُقِرت آذانهم فلم تسمع الواعية، وكيف يُراعي النَّبأة مَن أصمَّته الصيحة؟ جمهورية تعيش تخبُّطًا ما بين الطريقة الفرنسية والطراز البريطاني في نظامها، تُحْسَب على التشيُّع وتلبس لباسه، عفَّرت خديها لهذا الدجل؛ تريد عصرنة الحوزة وتطويرها، وتعطيل المرجعية والقضاء على استقلاليتها، ومحو الشعائر.

***

---

(1) أمثلة لأبرز المشروعات الخطيرة والتوجُّهات التي خلقتها الحداثة: النباتية، الجندرية، النسوية، الذكاء الاصطناعي، الواقع الافتراضي، العملات الوهمية (الإلكترونية)، الفردية، الإجهاض، انتهاك الخصوصية، أزمة المناخ، الحركة الطوعية لانقراض العنصر البشري، والهندسة الوراثية.

الشريعة ليست خيارًا

مِثلنا نحن (المتديِّنون)، المُقَلِّدون للأموات والمتعلِّقون بالتراث والمتورِّطون بالذاكرة (كجماعات)، في اللحظة التي نُعيَّر بها من قبل الليبْرَل تراهم يمجِّدون أشخاصًا آخرين، مثل النباتيين والشواذ والنَسَويين (كجماعات)، فلا يُثير الانتماء إلى الثاني جدلًا عندهم، ولكن الانضمام إلى الأول يفعل؛ لأن بحسب تصوُّرهم بأن الانتماء[1] يجب أن يكون أُمميًّا يتعدَّى الحدود القومية والدينية والإثنية، لئلا يؤكِّد حضور الجماعة أو يُعمِّق مركزيتها على حساب الفرد، تأصيلًا لحقوق الأفراد بدلًا من حقوق الجماعات، ولتكون الحقوق السياسية والمدنية متساوية للأفراد (كأولوية) لا الجماعات.

مُبرِّرات هذا النفور عندهم هو خوفهم من استحضار الذاكرة، وأن تتحول الالتزامات الخاصة بالجماعات الدينية (على نحوٍ خاص) إلى فروض وقوانين عامة، مع أن الجماعات غير الدينية (المدنية) لو حظيت بالنفوذ والسلطان لفرضت التزاماتها الخاصة أيضًا، ما يؤكِّد أن نفور الليبْرَل هو حساسية من الدين فحسب، وليس غير الدين ما يُثير حفيظتها حتى وإن عَمَدَت تلك الجماعات غير الدينية إلى السعي الحثيث

---

(1) ينتمي الإنسان إلى جماعةٍ ما ليظفر بامتيازاتٍ توفِّرها الجماعة له؛ كالاهتمام والأمان والحفاوة، ويُقابلها القيام بالتزاماتها من قبل المُنْتَمي وشعوره المستمر بالمديونية.

أو اللجوء إلى الدولة لتحويل اهتماماتها الخاصة إلى واجبات على الجميع، ما يعني أن انتخاب ذاكرة رسمية للناس هي وظيفة أي جماعة.

ما يطمع به الليبْرَل هو إخراج الإنسان من اختزال وجوده كبشر في جماعة واحدة (أي ذاكرة واحدة)؛ لأنك بذلك يمكن أن تكون نباتيًا وعابرًا جنسيًا ونَسَويًا في نفس الوقت، ولكنك إن كنتَ مسلمًا فإنك لن تستطيع أن تكون مسلمًا ونباتيًا وعابرًا جنسيًا ونَسَويًا.

في هذا السياق، إنك ترى الشريعة تتحدى أُسُسها الحضارية كونها تمتلك الإنسان وتحصر ولاءاته، ومن هنا نستطيع أن نحدس ما يُراد بها؛ أن الأمر يتعلق بتصفيتها، فإن لم (ولن) تستطع فبتمييعها لتكون خَيارًا ضمن خَيارات.. متى اعترض الرَّيب في ديننا حتى صار يُقرَن إلى هذه النظائر؟ هيهات! شريعتنا ليست خَيارًا، ولا خِيَرة من أمرنا أمام حكمها وقضائها[1].

وفي هذا السبيل، تأتي العَلْمَنة لتلعب دورًا على خطوط التماس (ما بين الليبرالية والدين)؛ لتُخفِّف من وطأة التنافر بينهما بواسطة أطروحة «**فصل الدين عن الحياة**»، فَتَغُض الطرف عن الجماعات الدينية التي مهما كابدت فإنها لن تستطيع تحويل شيء من التزاماتها الدينية وإيمانها إلى واجبات عامة، حتى وإن حكمت باسم نفسها وتسلَّمت زمام الدولة.. يبدو لي أنها لعبة مصطلحات وتوزيع مهام تحتها، تتعدد والغاية واحدة.

---

(1) قال الله جلَّ جلاله: «وَمَا كَانَ لِمُؤْمِنٍ وَلَا مُؤْمِنَةٍ إِذَا قَضَى ٱللَّهُ وَرَسُولُهُۥٓ أَمْرًا أَن يَكُونَ لَهُمُ ٱلْخِيَرَةُ مِنْ أَمْرِهِمْ وَمَن يَعْصِ ٱللَّهَ وَرَسُولَهُۥ فَقَدْ ضَلَّ ضَلَٰلًا مُّبِينًا».

لننظـر إلى الصـورة بزواياهـا وأبعادهـا، ولـنفهم مـا عنـدنا كـما يريـد الـدين أن نفهمـه، مـن وجهة نظرنا نحـن.. لَعَمْـري أن الـدين أعـم وأشـمل وأكثـر أخلاقيـة مـن تلـك السَفْسَـطة، هو دين ودنيا ودولة، حياة ومَعاد.

***

نحـــن الأعلـــون وأصحـــاب السيـــادة

قَلَقُ المجاراة وهاجس التأخُّر، خشية أن تنتزع الحضارة الغربية منا الاعتبار، ألا تستحون من أنفسكم وأنتم الأعْلَون والأعلى[1]؟ الأعلون في كل شيء، والأعلى في أيِّ غَمْرةٍ تخوضونها، فَلِمَا تَسْتَعذبون هوانًا وتَرْضَون انقيادًا وتَقْبَلون آصارًا وأغلالًا؟

لا مندوحة عن المنهجية الاستعلائية، هي كل ما تنقصنا، أن نؤمن بأننا الأقوى والأكثر ثراءً بما نملكه من تراث حضاري متين، ظهيره الله خالقنا، وجبريل وصالح المؤمنين والملائكة، فلسنا في عَوَز، ولدينا كل ما يُمكِّنُنَا من الهيمنة على هذا العالم وإعادة صياغته.

رُويدًا لا يُحبطنَّكم الشيطان، ومَهلًا فلا يَغُرنَّكُم بغير ما أقول، فلست طوباويًا، ولست هنا في مقام أن أكون «**هِرْتزل**» في استنهاضكم -وإن أعجبني-، ولا «**أَدْلوف**» في بعث الحماسة فيكم، ولا «**لينين**» في إشعال روح الثورة فيكم.

دعوني أُفصِح عن تلك الدعوات وهاتيك البشارات؛ إنها ليست دعوة سياسية، ولا سعي إلى سلطة وحكومة أو تأسيس دولة جديدة، بنظرية أخترعها ورأي يُجدِّد الجدليات، بل دعوة إلى نفير وصفير، جهاد لإسقاط الحضارة الممسوخة، دحضها

---

(1) قال الله جلَّ جلاله: «وَلَا تَهِنُوا وَلَا تَحْزَنُوا وَأَنتُمُ الْأَعْلَوْنَ إِن كُنتُم مُّؤْمِنِينَ»، وقال: «فَأَوْجَسَ فِي نَفْسِهِ خِيفَةً مُّوسَىٰ * قُلْنَا لَا تَخَفْ إِنَّكَ أَنتَ الْأَعْلَىٰ * وَأَلْقِ مَا فِي يَمِينِكَ تَلْقَفْ مَا صَنَعُوا إِنَّمَا صَنَعُوا كَيْدُ سَاحِرٍ وَلَا يُفْلِحُ السَّاحِرُ حَيْثُ أَتَىٰ».

وسحقها ودكّها، يصاحبه صفير يدعو سيِّد الأرض وإمام الكون لقيادتنا[1]، هو المصلح على الإطلاق، فلا نُزاحمه عمله، وهو المُنْقِذ على الإطلاق، فلا نلبس لباسه.. نُناديه وننتهي، فلا مجال لأحكام اجتهادية نترقَّب نتائجها، فنرجع تارةً أُخرى لِسَلْبِها رداء الشرعية وإبدالها بأختها وهكذا.. إن أردنا الخَلاص أتحدث، وإن أردنا لحضارة السماء أن تتسيَّد.

***

(1) أي المهدي الموعود، الإمام محمد بن الإمام الحسن العسكري، ابن الإمام علي النقي، ابن الإمام محمد التقي، ابن الإمام علي الرضا، ابن الإمام موسى الكاظم، ابن الإمام جعفر الصادق، ابن الإمام محمد الباقر، ابن الإمام علي زين العابدين، ابن الإمام الحسين الشهيد، ابن الإمام علي أمير المؤمنين.

الاقتنــاع بالواقــع.. إنهــا دولــة مستحيلــة

في خضـم السـجال المُحْتَـدِم حـول جدليـة القيـام والقعـود[1]، أراني مـن أنصـار القـائلين بإقامـة دولـة الشريعـة وحكومـة الإسـلام، أي أني أميـل إلى القيـام في عصـر غيـاب

---

(1) مـذهبان فقهيـان اجتهاديـان في التشيُّع، أحـدهما يـذهب إلى جـواز إقامـة دولـة إسـلامية في عصـر غيبة الإمام المهدي، والآخر يذهب إلى حرمة القيام والجهاد.

بُرهان القائلين بالجواز هو ما فهموه من سيرة النبي؛ كإرسالـه للسفـراء، وتأسيـس بيت المال، وجمع الضرائـب، وتكوين جيش، وعقد الاتفاقيات، وإبرام المفاوضـات، إضـافة إلى توفُّر نصـوص دلَّت على ماهية صـلاحيات الحاكم، وضرورة وجود أمير، وحرمة التحاكم إلى غير الإمامي للقضاء بين المتخاصمين.

ومُـبررات القـائلين بالحرمـة هـي تعـذُّر الإصـلاح بعـد مقتـل الإمـام الحسـين، وأن إقامـة دولـة إسـلامية شـيعية سـيزيد مـن مكـروه الشيعة، كـما أن أهـل الشريعـة (أهـل البيـت) لم يُبيِّنـوا بوضـوح شـكل الحكـم وآليتـه، بـل لم يُتوقَّـع مـنهم تبيانـه، وإن فعلـوا فلـم يُتوقَّـع مـن رواة أحـاديثهم روايتـه، إذ إن ذلـك سَيُعرِّضهم للمخاطر.

وللسيد محمد سعيد الحكيم كـلام قيِّم في هـذا الشـأن، تجده في كتابـه «فاجعـة الطـف»، يشـرح ويفصـل، ومـن ذلـك أن الأئمـة لم يستجيبوا لأصـحابهم عنـدما حـاولوا حملهـم عـلى القيـام والثـورة؛ حفاظًـا عـلى وجـود الشيعة وتكثيرهم، وأقنعـوهم بتعـذُّر تعـديل الاعوجـاج والانحـراف الـذي حصـل، ونصـحوهم بالهُدنة والابتعـاد عـن مظـان الاحتكـاك، وأن يلزمـوا بيـوتهم ويكونـوا حِلْسًـا مـن أحلاسـه؛ حقنًـا لـدمائهم والتزامًـا بالتقيـة، وليتسـنَّى لهـم نقـل الحـق إلى أهلـه، ولـئلا تنهـدر طاقـاتهم في محـاولات لا تعـود إلا بالضـرر عليهـم، ذلـك كلـه مـع أن يضعـوا بعيـن الاعتبـار عـدم شرعيـة السـلطة؛ فحرَّمـوا علـيهم التعـاون معها وبَنوا حاجزًا نفسيًا بينهم وبينها.

صاحب هذا الأمر، وإذا كان هذا الكلام يُؤكِّد أمرًا ويُثَبِّت رأيًا، فهو ترجمة القعود على أنه استكانة وتفسيره بأنه حيلة الهارب من المسؤولية[1].

ولقد أمضيت عُمُرًا بين التنظير والعمل سعيًا لتحقيق هذا الحلم، رفعًا للبؤس الذي يُخيِّم على نفوس الشيعة وهِم الرافضة، بل كنت أرى أن لا مَنَاص من إقامتها رُغم تَذبْذُب صياغة الحكم وأسلوب القضاء ونظرية الاقتصاد.

أتيت بصياغة هجينة، تجمع **«ولاية الفقيه»** بـ **«شورى الفقهاء»** في آن، لتكون مذهبًا وطريقة للسلطة، أَعْقَبْتُها بابتداع صياغة فريدة، الجامع بينهما أمر؛ أن يكون للفقهاء أدوار استشارية وقضائية غير وظيفية ولا قُطْرِيَّة ولا تنفيذية في إدارة شؤون الرعايا، رئيسها الفقيه **«المستبد العادل»**[2]، وأن تكون دولة اجتهاد تحكم لله ولا تحكم باسمه[3].

يتفق المذهبان على أن نظام الحكم في الإسلام لم يُبيَّن، والموجود ما هو إلا إسقاطات اجتهادية مُبْتَنية على تلميحات، ويلتقي المذهبان في حالة لم تكن للإسلام دولة بالقول بسقوط أحكام صلاة الجمعة والحدود ويُقال الخُمْس، كما تُجاز أخذ أموال الحكومات باعتبارها مجهولة المالك.

(1) هذه ليست قراءة تُصنِّف الأئمة الذين لم يُشهِروا سيوفهم قاعدين؛ فهم أئمة قاموا أو قعدوا، وإنما الكلام في عصر الغيبة الكبرى، وليس ناظر إلى ما قبله.

(2) الاستبداد إذا لم يكن مطلقًا، وقُرِن بالعدل، وخضع لقوانين الشريعة الغرَّاء؛ فهو غير الطُغْيان. يقول عمر بن أبي ربيعة المخزومي: «إنما العاجز من لا يستبد».

(3) روى ثقة الإسلام الكليني في «الكافي»، بسنده عن مسعدة بن صدقة، عن الإمام جعفر الصادق: «وإذا حاصرتم أهل حصن، فإن آذنوك على أن تنزلهم على ذمة الله وذمة رسوله فلا تنزلهم، ولكن أنزلهم على ذممكم وذمم آبائكم وإخوانكم؛ فإنكم إن تخفروا ذممكم وذمم آبائكم وإخوانكم كان أيسر عليكم يوم القيامة من أن تخفروا ذمة الله وذمة رسوله».

لم تـزل مسـألة الدولـة تُلازمنـي منـذ الصـغر، ومـن شِـدَّة الشـغف، كانـت لي تـأمُّلات في كتـــاب «**الدولـــة اليهوديـــة**»، تلتهـــا تقريـــر السلســـلة البحثيـــة التـــي قَدَّمَهـــا الشـيخ يـاسر الحبيـب المُعَنْوَنـة بــ«**دولـــة الأكـــارم**» والتعليـق عليهـا، كونـه هـو الثـاني مكترث لأمر إقامـة الدولـة في عصـر الغيبـة، ولـه آمـال وتطلعـات ووجهـات نظـر، يراهـا قابلـة للتحقـق، وقـتما تتوحَّـد الكلمـة وتتوجَّـه إلى الأمـم المتحـدة لإجـراء اسـتفتاء حـق تقريـر المصـير، ويضـرب بــ«**إسرائيـــل**» مثـالًا حيـنما وحَّـدوا كلمـتهم وطلبـوا مـن الإمبراطورية البريطانية التي كانت مهيمنة آنذاك وطنًا قوميًا يجمع شتاتهم[1].

---

(1) ويقـول: «ونسـقط هـذا عـلى واقعنـا المعـاصر؛ أمريكـا هـي الأقـوى، وهـذه المعادلـة مفروضـة علينـا، فهـي التـي تحكـم العـالم شـئنا أم أبينـا، ولا نخـالف أن الحكومـة الأمريكيـة حكومـة كـافرة وطاغيـة، وأن كثـيرًا مـن مآسـينا بسـببها، ولكـن الكـلام في أيهـما أصـح، المناطحـة أم المـداراة؟ المعادلـة مفروضـة علينـا، ولـيس لنـا قِبَـل بهـؤلاء، ولا تكـافؤ في القـوى.. وأمريكـا لـن تعطـي ضـوءً أخضـرًا لشـيعة البحـرين لأن يحكمـوا إلا أن يُـداروها؛ فالقضـية واضـحة، فـلا داعـي للثـورات وسـفك الـدماء بـلا نتيجـة». راجـع كتاب «دولة الأكارم».

ويقـول اسـتدلالًا: «...بعضًـا مـن دول الأنبيـاء تأسسـت عـلى قاعـدة الميسـور لا يُـتْرك بالمعسـور؛ كدولـة يوسـف... بعـض دول الأنبيـاء كانـت عـلى تلـك القاعـدة، أي بمعنـى أنهـا لم تكـن عـلى كـل الأصـول، ولم تكن بحذافيرها دولًا دينية متديِّنة بها للكلمة من معنى».

والحقُّ أن أنبياء الله لم يسـعوا إلى تأسـيس حكومـة، ولم يُعـرَف عـنهم بنـاء حضـارة، بـل كـانوا يعتاشـون عـلى الحضـارات، وقـد شـارك نـزْر يسـير مـنهم في إدارة محـدودة لـدول تلـك الحضـارات وفقًـا لظـروف المعطيات السياسية التـي كـانوا فيهـا، والمصـلحة العامـة ومـا تقتضـيه، وإن قيـل سُـليمان، قلنـا كـان مبسـوط اليد على مُلكٍ استثنائي، فلا انطباق للقاعدة.

فقاعدة «الميسور» لا وجه لها بأي حال مـن الأحـوال إذا كـان يُـراد للشريعـة دولـة، بـل قـد يكـون لهـا وجـه للمتـدينين (كـأفراد اسـتثنائيين)، في حـال تـوفرت فُسَـحة أو دفعـتهم الضـرورة عـلى إكـراه وإجبـار؛

ولا غَـرْو أن يكـون الإمـام الخميني هـو الآخـر مُلهـمًا شـديد الإلهـام لي، وإن كنـت أكـتم ذلـك في فـترة انغـماسي في الوسـط الشـيرازي وانحسـابي علـيهم، ولا يعنـي ذلـك أني أبديـت تناقضًـا أو كتمـت نفاقًـا في بعـض انتقـاداتي لـه، فذلـك شيء آخـر لا أزال أقـول بإجماله.

وفي الكويـت، كانـت لي مقـالات تحريضـية نُشِـرَت في المجلـة الشـهرية التـي كنـت أُشرف عـلى تحريرهـا[1]، حَسِـبت أن رواج الفكـرة يعتمـد عـلى الشـباب المُغـامِر المـتحمِّس[2]، الذين يرون حالة السكون في قاداتهم فيُقارنوها بالغد المشرق الذي أُمنِّيهم بتحقيقه.

فهمت أنها خُطَّـة ركيكـة إذا مـا حـاول فـرد واحـد تحقيقهـا، وفي غايـة القـوة والمتانـة إذا مـا اجتمعـت الرافضـة عـلى نيلهـا، حينهـا سـننال خطتنـا كلهـا أو شيء منهـا[3]، فكنـت أؤمـن بـالتنظير والأبـوة الروحيـة للثـورة، أكتـب وأنظِّـر، فلعـل جـيلًا لا أدركـه يكـون سـببًا لتحقيق الفكرة.

كسلمان الذي وُلِّيَ عـلى المدائن تحت حكـم عمـر بـن الخطـاب، وعبـد الله النجـاشي الـذي وُلِّيَ عـلى الأهـواز تحـت حكـم بنـي العبـاس، وقبـول الإمـام عـلي الرضـا بولايـة عهـد المـأمون.. حكومـات مُسْتَصـحبة، وليست دول أكارم، لا تُغيِّر ولايـة الخـواص عليهـا أمـر سـقوط شرعيتهـا وحرمـة عمـل العمـوم بهـا، وأمـا سرورهـم بالولايـة؛ فعسـى أن يُغيـث بهـم ملهوفًـا خائفًـا مـن آل محمـد، فيُعِـزِّون ذلـيلهم، ويُكْسـون عاريهم، ويُقَوُّون ضعيفهم ويُطفئون نار المخالفين عنهم.

(1) وهي المجلة التي كانت تُشرف «هيئة اليد العليا» على طباعتها وتوزيعها، وكانت تصدر سرًا، وعليها عنوان بريدي لبناني مفبرك؛ كمخرج قانوني في حال وقعت السلطات الكويتية على نسخ منها.

(2) لقـول الإمـام جعفـر الصـادق، الـذي رواه ثقـة الإسـلام الكلينـي في «الكـافي»، بسـنده عـن إسـماعيل بن عبد الخالق: «عليك بالأحداث؛ فإنهم أسرع إلى كل خير».

(3) قرأت خبرًا يُنْسَب إلى الأمير علي بن أبي طالب مفاده: «ما رام امرؤ شيئًا؛ إلا ناله أو ما دونه».

وبعد الهِجرة واللجوء السياسي، أخذت بتأسيس مؤسسة إعلامية سَمَّيتُها «**هَجَر**»، وهي عاصمة «**البحرين الكبرى**»، الإقليم الشيعي قديمًا[1]، أَمَلًا في إعادة مجدها.. خليجي يطمح بوطن قومي خاص لشيعة الخليج جميعًا، وينوي النهوض بهم.

كل مراقب يرى بوضوح ما يجري على شيعة الخليج من نكايةٍ وظلمٍ واضطهاد ما إن يكونوا عددًا ملحوظًا؛ أقلية محرومة من المناصب الهامة ومنبوذة من الوظائف الأمنية، بيد أنهم كلما حاولوا بصدقٍ أن يكونوا وطنيين مع الحفاظ على معتقداتهم، تنظر الأغلبية إليهم على أنهم غُرَباء[2].. قهر أَلِفْناه نحن الشيعة على مَرِّ الزمان، تمادى غَيَّه وكَبُر بَطْشُه وما استطاع أن يقضي علينا.

لم تكن رسائلنا الثورية مُرَكَّزة على الشيعة الذين يعيشون رَغَد العيش، فرفضهم للثورة أمر متوقَّع ومعلوم سَلَفًا؛ فكان التركيز على شيعة الأحساء والقطيف والبحرين، وأما آكلي «**المچابيس**»[3] لا يُعَوَّل عليهم بأمر كهذا لا يُطيقونه.

إلى أن جاءتني البَلْوة؛ أُفْتُتِنْت بِبِدَع الحضارة الغربية، وصرت أدعو إلى «**العلمانية الجزئية**»، وبحجم ما كانت بلاءً كانت رحمةً وخيرًا.. اكتشفت عدوًا، ورأيت فسادًا وانحرافًا بأُمِّ عيني، وأيقنت بأمر واحد، ينبع من تجربة حقيقية ورؤية واضحة.

---

(1) حاضرة شيعية، وتشمل: البحرين الحالية، وساحل الخليج، من الكويت شمالًا حتى عُمان جنوبًا، مرورًا بالقطيف والأحساء.

(2) الأكثرية هي من تحدد غالبًا من هم الغرباء.

(3) «المَچْبوس» أو «الكَبْسة»: أكلة كويتية مشهورة.

خرجت من الزَوْبَعَة مُتعافيًا، نظرت وتدبَّرت، وعَتبت على نفسي ما كنت أطرح.. استجداء الأمم المتحدة واستعطاف الضمير العالمي ومناشدة النظام الدولي، الله أكبر!

وَرْطَةٌ وجد العالم أجمع نفسه فيها، ولم تكن باختياره، اسمها «**الحداثة**»، استسلم واقْتيدَ لها كما يُقاد الجمل المَخْشوش، وقَبلَها المسلمون واعتبروها أمرًا مفروغًا منه.

كان كل شيء على ما يُرام، وكان يمكن للشريعة أن تُمكَّن وتتفاعل مع ما هو سائد لتنظيم شؤون الدولة، حتى مطلع القرن التاسع عشر، وعلى يد الاستعمار الأوربي، تفكَّكت النظم الاقتصادية والاجتماعية والسياسية، فلم تعد الشريعة (كدولة) قادرة على بسط نفوذها مع هذا التحوُّل العالمي، وانحصار القوة بيد ما يُسمى بـ «**النظام الدولي**»[1]، وقيادته للنظم كلها بما فيها من قوانين وأجهزة.

أُفْرِغَت الشريعة من مضمونها السياسي، وانعدم التوافق بينها وبين النظام الدولي، وأقصى ما استطاعت الحفاظ عليه في ظل هذا النظام، هو شيء من تشريعات الأحوال الشخصية وإدارة الأوقاف وغيرها من هوامش الأمور.

ولك أن تنظر إلى تعريفات «**الدولة الحديثة**» لتعرف أين تكمن المشكلة، وحجم التناقض الداخلي بينها وبين «**الدولة الإسلامية**»، ومن هناك سَتَتَيَقَّن من أمر واحد،

---

(1) أخضعت قوى الاستعمار العالم، وأخذت تُشرعِن التفاهم معها باسم «النظام الدولي»، وهي من وضعت معادلات العلاقات الدولية؛ ما يجعل من الدول الخاضعة دولًا وظيفية تعمل لصالح سياسة الاستعمار شاءت أم أبت، عَلِمت أم لم تعلم. وبين الفَيْنَة والأخرى، يخرج النظام الدولي هذا بشعارات كاذبة لإعادة ضبط النظام، فيَجُر دول العالم إلى توقيع اتفاقيات والالتزام بها؛ كـ «اتفاق باريس للمناخ»، والصك الدولي للوقاية من الجوائح والتأهُّب والاستجابة لها، وهو صك لتقنين الممارسة الفاشية والتضليل الممنهج، من قِبَل النظم السياسية بأمرٍ من «الصحة العالمية»، بذريعة الوقاية من الأوبئة والجوائح كما فعلت في أزمة «كورونا» (منذ عام 2020م).

وهـو اسـتحالة قيـام دولـة إسـلامية وهـي تـرزح تحـت وطـأة تلـك التـي تسـلبها خصوصـياتها الأخلاقيـة والتاريخيـة[1]، وإن اسـتطاعت بحـال مـن الأحـوال الإفـلات من قبضتها فإنها من جهةٍ أخرى لن يُسمَح لها بالازدهار، وستُجْهَض آجلًا.

تحـرَّك إسـلامَويّون لِحَبْـكِ تعريـفٍ لدولـةٍ إسـلاميةٍ حديثـة[2]، إلا أن التنـاقض الجـوهري بـين الدولـة الإسـلامية والدولـة الحديثـة يهـزم أي تعريفـات مُوَلَّـدة؛ بحكـم طبيعتهـا أولًا، ولغيـاب انسـجام البُنـى الدسـتوريـة للنظـام السـياسي للـدولتين ثانيًـا، ولاعتبـارات السـيادة والمِلْكيَّـة ثالثًـا[3]، وللمناعـة الأخلاقيـة رابعًـا[4]، ولأَجْنَبيَّـة مفهـوم المواطنـة والوطنية والوطن عند الإسلامي خامسًا[5].

---

(1) وظيفة الدولة الإسلامية هي إعلاء القيم الإسلامية، فإذا عجزت الدولة عن ذلك لم تعد إسلامية.

(2) تتكوَّن الدولة الحديثة من عناصر ثلاثة: إقليم وشعب وسلطة، وإذا كانت الدولة ديمقراطية فإنها تقوم على مبدأ الفصل بين السلطات؛ فسلطـة تُشـرِّع وسلطـة تُنفِّذ ما شُـرِّع وسلطة تُفسِّـر ما شُـرِّع وطُـبِّق. وهذه العناصر والتقسيمات بِرُمَّتها تتعارض مع تكوينات الدولة الإسلامية وإرادتها السيادية.

(3) في الحكـم الإسـلامي السـيادة لله، فـلا فصـل بـين السـلطات؛ فهـو مصـدر السـلطات جميعًـا، وليسـت لكيانـات وضـعية، وكـذا الأمـر بالنسبة للمِلْكيَّـة؛ فـإن أمـلاك البشـر الدنيويـة هـي مليكـة مجازيـة، فـالله وحده مالِك المُلْك كله.

(4) إن مبـادئ الإسـلام الأخلاقيـة أولويـة في كـل شـأنٍ وأمـر، ويأخـذ التشريـع اعتبـاره القـانوني بإمضـاءٍ مـن المعـايير الأخلاقيـة الإسـلامية، يجـري القـانون عـلى أساسـها دومًـا ولـيس العكـس، وأمـا في الدولـة الحديثة فإنها ثانوية؛ تراها تفصل العلم والاقتصاد والقانون عن المبادئ الأخلاقية.

(5) لا تعـترف الشريعـة بالدولـة كشخصـية قانونيـة اعتباريـة؛ فـالوطن عنـدها هـو الإسـلام وأُمَّتهـا مجموعة مـن المـؤمنين الـذين يتسـاوون في القيمـة، لا فضـل لعـربي عـلى عجمـي، ولعجمـي عـلى عـربي، ولا لأبـيضٍ عـلى أسـود، ولا لأسـود عـلى أبـيض إلا بـالتقوى، وهـم شـعب الدولـة أينـما كـانوا، وأمـا حـدود الدولـة فهـي دور الإسـلام، فـأينما تواجـد المؤمنـون في نطـاق تكـون أحكـام الشريعـة فيـه نافـذة،

راجت الأحزاب الإسلاموية وذاعت، وأُلبِست ثوب الحزبية قَسْرًا، ومشيت على دروب الأحزاب السياسية العاملة في النظم الديمقراطية، فلم تُفلِح، ومضت غير مأسوفٍ عليها[1]، وفشل الاحتواء، وانهزم من عامل الإسلام من منظور غيره؛ فجعله على غرار حزب العمال والمحافظين والجمهوريين، بيته البرلمان وكلمته الأغلبية[2]!

بعد كل ما تقدَّم، إنك ترى مُعْضِلَة معقَّدة، تستحيل معها تسوية الاختلافات على المستوى النظري والعملي بين الدولتين، ولا يعني عدم التزاوج هذا أن في مرتكزات الإسلام وَهن وفي مبانيه مشاكل؛ لأنهما ماهيَّتان مُسْتَقِلَّتان، وحينها سَتُدْرِك صعوبة الصراع النفسي والتحدي «**الديونطوجي**» (Deontology) الذي ينازع

فهم في حدودها، أما في الدولة الحديثة، تراها لا تعرف إلا حدودها الذاتية المرسومة، ومن فيها وعليها، وترى أوطانها أوثانًا؛ يموت الشعب ليحيا الوطن!

سؤال يطرح نفسه على نظام الجمهورية الإسلامية الإيرانية المُعقَّد وغير العادي، هل من السياسة الإسلامية أن يُشارك الفاسق الإيراني في الاقتراع العمومي المباشر (كالانتخابات الرئاسية)، ولا يحق للفقيه العادل أن يُشارك فيها بُحجَّة أنه لا يملك جنسية إيرانية؟ والله إذًا ليذهبنَّ أمرهم سِفالًا، حتى يرجعوا إلى ما تركوا من تضييع للأصول وتقديم للأراذل وتأخيرٍ للأفاضل، وما يُستَدَل على أُفول الدول واستدبارها إلا بهذه!

(1) في 3 يوليو 2013م، فشلت جماعة الإخوان المسلمين في مصر بزعامة محمد مرسي، ونادى الشعب الجيش للتدخل وعزل الرئيس الذي اختاره الشعب بنفسه عبر صناديق الاقتراع.

(2) ماذا لو انتهت المدة الرئاسية لحزب إسلامي حاكم تحت نظامٍ ديمقراطي ما، أو انقلب الجيش أو أُستُدعيت قوة خارجية لاقتلاع الحكم؟ تتعطَّل الحياة الدستورية الإسلامية وتُلْغى القوانين الشرعية!

الشخصية المسلمة، التي تشعر بالزام أخلاقي لاستعادة حكم الشريعة أو شكلٍ من أشكالها، أمام حضور مُسْتَحكِمٍ للدولة الحديثة.

لقد اختل التوازن؛ فإما أن نقبل الدولة الحديثة أو أن تَقْبَلَنا.. لن نُحْسِن الظن بهؤلاء، ولن نُخدَع بتجريب تطبيق ما لا يمكن تطبيقه، ولن نَنْجَر إلى معارك يستدرجوننا إليها؛ لذا فإننا مضطرون إلى رفضها.

القوة تسبق الحق.. لست أريد إحباطكم ولا التنازل عن حقوقنا المكتسبة، ولكن لِنَعتَرِف، نحن مُسْتَعمَرون، ومَيِّتون حضاريًا وروحيًا، ولا نملك قرارًا بأيدينا، ونعيش أزمة هوية كبرى، فليست من الكياسة في شيء أن نُعالِج عِلَلنا معالجة جزئية، نحن بحاجة إلى علاج جذي، نستعيد به هويتنا ورسالتنا؛ هذا إن أردنا للشريعة أن تُصان من المساس، ودرء اللاعبين بها عنها.

كما أن «**الإسلام يعلو ولا يُعلى عليه**»[1]، لا يخضع لمرجعية النظام الدولي[2]، ولا ينزل على حكم الشرعية الدولية[3] ومجلس الأمن[4]، ولا يُحوَّر لتكون دولته وطنية أو أنظمته وظيفية، ولا يَقبَل بحلول قُطْرية[5].

---

(1) أثر نقله الشيخ الصدوق من بعض الكتب، وينُسَب إلى النبي.

(2) أشارت «روسيا اليوم» الإخبارية، بتاريخ 23 ديسمبر 2021م، إلى وجود تقارير تفيد بأن الولايات المتحدة تُهدِّد روسيا بفصلها من النظام المصرفي الدولي ومن استيراد الهواتف الذكية.

وفي إطار الممكن، يسعى «حزب العدالة والتنمية» في تركيا منذ توليه الحكم عام 2003م إلى تخفيض نسبة الربا تدريجيًا، ومع كل محاولة يشتد ضغط اللوبي الرأسمالي الدولي على تركيا؛ لإضعافها، وليتهاوى سعر صرف الليرة.

وأما الجمهورية الإسلامية الإيرانية، الدولة الإمامية، ما هي إلا رقم مُلْحَق بالنظام الدولي ومنظومته، أقطابها عرائس وقاداتها دُمى بيديه، لا تَدري ولا تُريد أن تَدري، ولو كان غير الذي أقول حقًا؛ لَرَمَت ولو سهمًا واحدًا لإسقاط هذا النظام أو التخلُّص من تبعيتها إليه على أقل تقدير.. إنك تراها تُسرِف في العِراك والمشاكسة أملًا بموقعٍ أعلى في هذه المنظومة الشيطانية!

(3) انتصرت «طالبان»، وتحرَّرت أفغانستان (في 31 أغسطس 2021م)، بعد عشرون سنة من الاحتلال الأمريكي، وها هي حكومتها لتصريف الأعمال تناشد المجتمع الدولي الاعتراف بها، وتطالب واشنطن بالإفراج عن احتياطي البنك المركزي الأفغاني المحتجز خارج البلاد.

(4) كيف ستُغيث دولة الإسلام المنشودة ملهوفًا وتُعين مظلومًا خارج حدودها؟ مائة قانون دولي سيُطبَّق عليها!

(5) أي أن نكون شَظيَّة جغرافية على الخريطة، وقد ناقش الكثير من المفكرين السياسيين موضوع «الدول الصغرى» (Microstate) وموقعها في النظام الدولي، وخلصوا إلى أنها أكثر تأثُّرًا بالتغيرات الدولية، وأنها عادةً ما تكون مُنهَكة بالتزاماتها الخارجية، ما يجعلها على وجلٍ مستمر، كل تفكيرها هو تأمين وجودها، وعادةً لا تملك الدفاع عن نفسها، وأَبيَن مثال على ذلك ما جرى على الكويت من غزو واحتلال عام 1990م.

واعلَـم، أن الـدول القُطْريـة مـا هـي إلا دول وظيفيـة تخـدم المشـروع الاسـتعماري، فـإن لم تكـن دولتنـا «السايكسـية»[1] قاعـدة عسـكرية للمسـتعمِر[2]، فهـي شركـة كـبرى بعنـوان دولة لتصدير الثـروات إليـه.. انسـداد الأفـق يُنْـذِر بـأن الدولـة الإسـلامية دولـة مسـتحيلة، ولا حـل لمـن يتـوق لتنفيـذ الشريعــة، ويتمنَّـى رؤيـة دولتهـا حيـة، إلا دَكّ الهيمنـة الغربيـة وإسقاط حضارتها ونسف أُسُس الدولة الحديثة عن بَكْرَة أبيها.

***

ثم إن بعـض هـذه الـدول الصـغرى نفسـها تُفكِّـر مَليًـا بالاتحـاد الكونفـدرالي مـع جاراتهـا نظـرًا لمـا تفرضـه التحديات الأمنية والإقليمية.

لِنَقُـل جـدلًا أننـا كنـا دولـة كـبرى، راجـع العقوبـات المفروضـة عـلى إيـران، 1500 عقوبـة تقريبًـا؛ تُرفَـع وتُفرَض بحسب مزاج كل رئيس أمريكي يتولَّى منصب الرئاسة.

(1) إشارة إلى اتفاقية «سايكس بيكو» السرية على تقسيم المنطقة.

(2) قواعد الاستعمار العسكرية في الدول العربية تمتد من عمان شرقًا إلى موريتانيا غربًا.

قطـع الأمـل بالضميـر العالـمي العـام

كمـن يُطلِـق النـار عـلى قدميـه مَـن يتفـاوض مـع المحتـل يريـد للإسـلام حُكـمًا[1]، وكمـن يكـون بـين فكّـي كمّاشـة مَـن يُعـوِّل عـلى اسـتثارة الضـمير العـام العـالمي[2]، يَسْتَنهِضَـه ليتعـاطف مـع قضـايانا ويقـف بجانبنـا مُشْـفقًا.. ومـن يفعـل؛ فإنـه كفـرخٍ طـار ووقـع في كُوَّة فتلاعبت به الصِّبيان!

إيـاكم وهـاتين؛ فـإنهما طِيَرَة مـن الشيطان، ومـن تهـاوَن بالـدين هـان، ألا شـاهت وجـوه الصـعاليك، يُريـدون الظَفَـر بالتسـلُّق والاسـتجداء أذلاء خاسـئين، يَحْسَبون أنهـم يُحسِـنون صُـنعًا، وهـم ليسـوا بأهـلٍ أن يُسَـد بهـم ثَغْـر أو يُنفَـذ بهـم أمـر، ألا وإن الإسـلام ديـن المجاهدين، الذين يَرون الله أكبر مـن كـل كبـير؛ فيُعجِّـل لهـم النصـر أعـزاء لم يطلبـوا غـيره ويتوسَّلوا بمن دونه.

ثـم تعـــال، نتفـــاوض مـــع مَـــن؟ الزُنـــاة واللصـــوص والعائثـــون في الأرض فســـادًا؟ وأيمـن الله، إن الدولـــة الإسلاميـــة لا تُخيـــف إلا أولئـــك! واستنهـــاض أي ضمـــير؟ ضمير ميِّت سريريًا!

---

(1) تنظـر الديمقراطيـة الليبراليـة إلى نفسـها عـلى أنهـا الشـكل النهـائي لأي حكـم إنسـاني. راجـع كتـاب «نهاية التاريخ والإنسان الأخير» لفوكوياما.

(2) في إطـار الممكـن، اجتهـد الائـتلاف الـوطني لقـوى الثـورة والمعارضـة السـورية (منـذ 2012م) في مناشـدة الضـمير العـالمي العـام والمشـاركة في المـؤتمرات الدوليـة، في جنيـف وبـاريس، للتفـاهم مـع النظـام الدولي وتقديم ما يمكن تقديمه، ولم تُفلِح مساعيهم بأخذ السلطة وإسقاط بشار الأسد.

الحقيقـــة كـما هـــي، أن محاولاتنـــا السابقـــة كلهـــا خاطئـــة، وساهمـــت في توســـيع رقعـــة الشطرنـــج وإطالـــة اللعبـــة؛ فلنجتهـــد بهـــز الضمـــير والضـمائر، ضمـــيرنا العـالمي نحـــن، لبعث الأمة من جديد.

***

حل وسط.. رافضة إلى تحقيق الظهور

وبعد الذي تقدَّم، يأتي السؤال الأهم، إذا عُدَّ القعود حيلة الهارب من المسؤولية، والقيام لتحقيق دولة الإسلام مستحيل لِغَلبة الدولة الحديثة واستفحال الحضارة المنكوسة، تُرى ما المخرج ونحن نعتمد في بقائنا على دولٍ تستضيفنا ونعيش عليها؟

للجهاد ضروب أخرى، وإنني أفهم القيام أكبر من كونه مُجرَّد سياسة ورئاسة؛ فيجوز أن يتخذ أشكالًا أخرى، يُقام به الدين وتُعلى به كلمته ويُدحَض به مخالفيه.

ولنا أن ننطلق من هذه الإشارة إلى فكرة عامة وضابطة كُلِّيَّة وسَطية، في منطقة رمادية، بين القيام والقعود، وهي قيام رايات ذات طابع انتقالي[1]، خارجة عن القوانين الوضعية[2]، لا تَروم حُكمًا، وتقوم على أساس تَكْليفَين: إنهاك النظام الدولي وإسقاط النكسة الحضارية الغربية أولًا؛ لإيجاد مساحةٍ للدولة الإسلامية الحقَّة لأن تتسيَّد، تليه مناداة صاحب اليد العليا لإنقاذ البشرية وانتشالها من الانحراف والزيغ.

---

(1) رايات مسلَّحة وليست دولًا، ومثاله في النبوءات: راية الخراساني وراية اليماني.

(2) تنتشر في الولايات المتحدة الأمريكية ظاهرة تشكيل ميليشيات مُأَدلَجة ومسلَّحة لا تخضع للدولة، تعرفهم الحكومة ويعرفونها.

في 6 يناير 2021م، اقتحم أنصار الرئيس الأمريكي السابق دونالد ترامب مبنى الكونجرس، ووقعت مواجهات مسلحة بينهم وبين القوات الأمنية.

يلوح استفهام مهم، ومن يعصم تلك الرايات من ادعاء السِّفَارة وزعم النيابة أو تلوِّثها بالسياسة أو استئكالها بالدين لغرض الرياسة؟ أقول اللاسلطوية واللامركزية هي الضامن.

هندسة جديدة، وهيكلة مُعقَّدة، وتكتيكات غريبة، واستراتيجيات للتكيُّف مُحيِّرة، وصلاحيات معدومة، وعناصر فردية فاعلة[1]، وذئاب منفردة، وأنفاس طويلة،

---

(1) أشادت الأخبار بمن يستعد لظهور صاحب الأمر، ومنها ما رواه محمد النعماني في «الغيبة»، بسنده عن أبي بصير، عن الإمام جعفر الصادق أنه قال: «ليعدن أحدكم لخروج القائم ولو سهمًا؛ فإن الله تعالى إذا علم ذلك من نيته، رجوت لأن ينسئ في عمره حتى يدركه فيكون من أعوانه وأنصاره»، إنك ترى الإشادة بتجهيز أقل ما يمكن تجهيزه في المعركة، سهم واحد! وهو حَث ليكون المؤمن على هيئة عسكرية، يُعضِّد ذلك ما رواه ثقة الإسلام الكليني في «الكافي»، بسنده عن ابن طيفور المتطبب، عن الإمام موسى الكاظم أنه قال: «من ارتبط دابة متوقعًا به أمرنا، ويغيظ به عدونا، وهو منسوب إلينا، أَدَرَّ الله رزقه، وشرح صدره، وبَلَّغه أمله، وكان عونًا على حوائجه»، وما رواه الشيخ الصدوق في «من لا يحضره الفقيه»: «ونصرتي لكم مُعَدَّة، حتى يحيي الله دينه بكم، ويردكم في أيامه، ويظهركم لعدله، ويمكّنكم في أرضه».

قد يُفهَم من ظاهر الروايات أقوائية الاستعداد الحربي على القيام الفعلي؛ أقول بأن طائفة أخرى من الروايات عَبَّرت صراحة بالقيام وممارسة الحرب الفعلية تمهيدًا لظهور صاحبنا، ومنها ما رواه ثقة الإسلام الكليني في «الكافي»، بسنده عن عبد الله بن القاسم البطل، عن الإمام جعفر الصادق أنه قال: «قوم يبعثهم الله قبل خروج القائم؛ فلا يدعون وترًا لآل محمد إلا قتلوه».

وأما الانشغال كل الانشغال بلعن أبي بكر وعمر، وإن كان إسقاط احترامهما من ضروب الحرب وموجبات الظهور، ونسفهما مظهر سيتجلَّى لنا عيانًا على يد صاحب الأمر، ولكن كما أعلمتنا الأخبار بأنه عمل العاجز عن الأقوى، وهو الاستعداد الحربي؛ ففي التفسير المنسوب إلى الإمام العسكري، أن رجلًا سأل الإمام جعفر الصادق: «يا بن رسول الله إني عاجز ببدني عن نصرتكم، ولست أملك

وتَنقُّلات مرنة[1]، لا تعتمد على حروب ومناورات عسكرية تقليدية[2]، شبكات وليست تشكيلات، ولا تنتمي إلى دولة، ولا ترتدي زيًا رسميًا، وغير قابلة للتصالح، تعتمد على الرصد والتحليل طويل الأمد، والعمليات النوعية على المنظمات الكبرى المملوكة للطُغمَة العالمية[3]، والغرض من هذا التعقيد، هو تشكيل معضلة أمنية وغموض تطبيقي للقنَّاصين يختلف عن النصر العسكري

إلا البراءة من أعدائكم، واللعن عليهم، فكيف حالي»، فأجابه: «من ضعف عن نصرتنا أهل البيت، فلعن في خلواته أعداءنا، بلغ الله صوته جميع الأملاك من الثرى إلى العرش، فكلما لعن هذا الرجل أعداءنا لعنًا ساعدوه فلعنوا من يلعنه، ثم ثنوا، فقالوا: اللهم صل على عبدك هذا، الذي قد بذل ما في وسعه، ولو قدر على أكثر منه لفعل».

(1) سَتُشَكِّل مرونة العناصر في التنقُّل من مسرحٍ إلى آخر صعوبة في تحديد تلك العناصر وأماكنها من قبل العدو، وستجعل منها هدفًا غير ثابت، كما أن توسيع رقعة الصراع سيُعجِز العدو ويُشَتِتِه ويستنزفه.. فرِّق نفسك تسد!

(2) لو غضضنا النظر عن الأسلحة الفتَّاكة التي تمتلكها الدول المهيمنة؛ ستجد جيشًا هزيلًا يمكن هزيمته بسهولة في حرب تقليدية، فلا تتوقَّع من جيش قوامه شواذ ونساء أن يصمدوا أمام حفنة من رجالنا، كما لك أن تأخذ بعين الاعتبار أن شعوب المجتمعات الغربية أخذت بالانكماش وصارت هُلاميَّة؛ نتيجة توقُّفهم عن التكاثر، الأمر الذي أدى إلى كهولة رجالاتهم، أضف إلى ذلك الهجرة غير المسيطر عليها، وهي هجرة أدَّت إلى تغير سكاني ضخم، وفي وقت قصير جعلت أمتهم عُرْضَة للتفكيك لانعدام المشتركات بينهم.

(3) كـ«عمالقة التكنولوجيا»، و«المنتدى الاقتصادي العالمي»، و«الأمم المتحدة» وما يتفرَّع منها.

التقليـــدي الـــذي يكـــون عـــلى أرض المعركـــة[1]، وذلـــك بـــاعتماد «**اللاتماثليـــة**» (Asymmetric Warfare) أسلوبًا للمواجهة.

قـد يُقـال هنـا، أن مشروعنـا أشـبه مـا يكـون بمشـروع عفـوي، يفتقـر إلى الشـكل التنظيمـي؛ أقـول قـد يكـون كـذلك، إذ يُـراد لـه أن يكـون حالـة جماهيريـة عامـة عفويـة، و«**نفـير ثُبـات**»[2]، وأمـا غيـاب الشـكل التنظيمـي المحـدد فـذلك لـدرء صراعـات الأجنحـة والآراء، وخشـية أن يتحـوَّل مـن مُقْتَلـعٍ للفسـاد إلى انعكـاس لـه، أو إلى حـزب سيـاسي وَثَنـي نـدفع ثمنـه، ومَغَبَّـة أن يكـون غايـة في ذاتـه، وتـوجُّس أن يتـأثَّر بالأحـداث، ومخافة أن يكـون أداةً للعـدو يُحرِّكـه ويقضـي عليـه متـى شـاء بحسـب مقتضيات مصـالحه السياسـية والإقليميـة[3]، ثـم إن التنظـيم لـيس إلا شـكلًا يتوسـط النظريـة الثوريـة وممارسة الثورة.

---

(1) وَعَت الولايات المتحـدة الأمريكيـة لهـذا النـوع مـن الحـروب المُسَـمَّاة بــ «الجيـل الرابـع» (4GW) بعـد أحداث الحـادي عشـر مـن سبتمبر، وحروبهـا الطويلـة مـع العصـابات الإرهابيـة غـير النظاميـة في العـراق وأفغانستان، ما اضطرها إلى إجراء تغييرات منهجية للتعامل مع العصابات والمقاتلين الفرديين.

(2) قال الله جلَّ جلاله: «يَا أَيُّهَا الَّذِينَ آمَنُوا خُذُوا حِذْرَكُمْ فَانفِرُوا ثُبَاتٍ أَوِ انفِرُوا جَمِيعًا».

(3) يختـار رؤسـاء الولايـات المتحـدة الأمريكيـة زمـن تنفيـذ عمليـات الـتخلُّص مـن التنظيـمات الإرهابيـة؛ تجـد مـثلًا، قُبيـل انتخابـات الرئاسـة الأمريكيـة، واسـتعدادًا لخوضـها لولايـة جديـدة، اسـتهدفت غـارة أمريكيـة في عهـد الـرئيس بـاراك أوبامـا زعـيم تنظـيم «القاعـدة» أسـامة بـن لادن (2011م)، وفي عهـد دونالد ترامب، استهدفت غارة زعيم تنظيم «الدولة الإسلامية» أبي بكر البغدادي (2019م).

عُرِفـت الولايـات المتحـدة الأمريكيـة بصـناعة التنظـيمات الإرهابيـة واسـتخدامها لتنفيـذ أجنـداتها ومؤامراتها، وكمبررات للتدخلات العسكرية وفرض هيمنتها.

وقبل كل شيء، علينا أن نؤمن بأن عددًا ضئيلًا من الثوريين المتفانين الذين يُعِدُّون ما استطاعوا من قوة[1]، ويَدْخُلون لهوات الحرب ولا يَملُّونها ولا يُجبِّنون[2]، ويأخذون الظلم على محملٍ شخصي، ويمتلكون أراضيهم ويختارون معاركهم لنيل الهدف الأعلى دائمًا، ويُراعون الكتمان والسرية، خيرًا من عدد كثير من فاتري الهِمَّة، وبعد ذلك، فإن المهمة الأولى المطروحة في هذه المرحلة، هي التسلُّح بالنظرية الثورية وقوانينها وأدبياتها وترويض النفس على المخاطر[3]، فإني لا أجهل المحاذير الأمنية

---

(1) قال الله جلَّ جلاله: «وَأَعِدُّواْ لَهُم مَّا ٱسْتَطَعْتُم مِّن قُوَّةٍ وَمِن رِّبَاطِ ٱلْخَيْلِ تُرْهِبُونَ بِهِۦ عَدُوَّ ٱللَّهِ وَعَدُوَّكُمْ»، وقال: «كَم مِّن فِئَةٍ قَلِيلَةٍ غَلَبَتْ فِئَةً كَثِيرَةً بِإِذْنِ اللَّهِ»، وقال: «إِن يَكُن مِّنكُمْ عِشْرُونَ صَابِرُونَ يَغْلِبُوا مِائَتَيْنِ وَإِن يَكُن مِّنكُم مِّائَةٌ يَغْلِبُوا أَلْفًا مِّنَ الَّذِينَ كَفَرُوا بِأَنَّهُمْ قَوْمٌ لَّا يَفْقَهُونَ».

لقد استطاعت فئة قليلة من أصحاب رسول الله مواجهة قوى عظمى والانتصار عليها.

(2) عن أبي أيوب بن يحيى الجندل، عن الإمام موسى الكاظم: «...قوم كَزُبَرِ الحديد، لا تزلهم الرياح العواصف، ولا يملون من الحرب، ولا يُجبِّنون، وعلى الله يتوكلون». راجع «بحار الأنوار» للعلامة محمد المجلسي.

ويقول عنترة بن شدَّاد:

«وَإِذا الجَبانُ نَهاكَ يَومَ كَريهَةٍ	**	خَوفًا عَلَيكَ مِنَ ازدِحامِ الجَحفَلِ
فَاعصِ مَقالَتَهُ وَلا تَحفِل بِهِ	**	وَاقدِم إِذا حَقَّ اللِقا في الأَوَّلِ»

(3) وصفت الأخبار سِمات أصحاب صاحبنا الإمام المهدي، منها أنهم: «رجال كأن قلوبهم زُبَر الحديد، لا يشوبها شك في ذات الله، أشد من الحجر، لو حملوا على الجبال لأزالوها، لا يقصدون براياتهم بلدة إلا خرَّبوها». راجع «بحار الأنوار» للعلامة محمد المجلسي.

ويُعاهِد المؤمنون صاحبهم كل صباح قائلين: «اخرجني من قبري، مُؤْتَزِرًا كَفَني، شاهِرًا سيفي، مُجَرِّدًا قَناتي، مُلَبِّيًا دعوة الدَّاعي، في الحاضر وَالْبادي». راجع «المصباح» للشيخ تقي الدين محمد الكفعمي.

التي قد تُصيب العناصر الفاعلة[1]، ولكن عليها أن تتيقَّن بأن «**بقية السيف أنمى عددًا وأكثر ولدًا**»[2].

كقَطَّارة ماء، سَنُحَقِّق أهدافنا قطرة قطرة؛ كيلا يُلاحظوا التغييرات التي نُحدِثها في صفوفهم ومواقعهم ومن حولهم، ولئلا ندع الشكوك تحوم حولنا، وسنتصرَّف وكأنَّنا لا نعرف بعضنا ولا صِلة بيننا، وسنقودهم كما يقودوننا بلطفٍ ورِقَّة، ونجعلهم يعتقدون بأنهم يقودون أنفسهم.

وأما التسمية فلتكن «**شرطة الخميس**»[3] أو «**جيش الغضب**»[4]، بشرط أن نكون مثل مقداد وعمار وسُلَيْم وسهل وقيس وعثمان وابن نباتة؛ قوم استشعروا السيادة فكانوا مشروع شهادة لها، تشارطوا على الموت فَشُرِطَت لهم الجنَّة.

ومن الطبيعي أن يكون التَشيُّع هو المظلة ومنه أصول الأحكام والاستنباط؛ لأن الشيعة وحدهم الذين يمتلكون تراثًا كبيرًا عن أخبار وأحوال الإمام المهدي، ووحدهم الذين يمتلكون فكرة الثورة ومفاتيح الحركة وأنباء المسيرة معه لبسط العدالة على المعمورة؛ فالتَشيُّع والرفض هما شرطا وجود هذه الثورة وفعاليتها،

---

(1) إذ يمكن أن يتم تصيف العناصر الفردية الفاعلة على أنهم «ذوي قيمة عالية» (HVI)، ويتم استهدافهم بأساليب «البحث، الإصلاح، الإنهاء، الاستخدام، التحليل، والتفكيك» (F3EAD).

(2) مقولة للأمير علي بن أبي طالب، راجع «نهج البلاغة» للشريف محمد الرضي.

(3) «شَرَطَة الخميس»: فريق استشهادي، وجهاز عسكري للتدخُّل السريع، وقوة إمبريالية، قوامها ستة آلاف رجل من النخبة وأهل الكفاءة، أسسها الأمير علي بن أبي طالب لمواجهة حركات الشغب وحسم المعارك ضد الناكثين والقاسطين والمارقين، ضمنت قُوَّاتها للأمير الذبح، وشارطته على الموت، فضمن لها الفتح.

(4) «جيش الغضب»: جيش بشَّرت به الأخبار، يأتي في آخر الزمان لنصرة الإمام المهدي.

وفي النفس الوقت، بوسع كل من يُشارِكنا شطرًا من أيديولوجياتنا؛ كعداء الحداثة والإمبريالية الغربية والصهيونية أن يُعلِن نفسه عضوًا معنا ويُناضل من أجل قضيتنا، وليس العكس.

لنتضامن مع كل فرد أو جهة نعتقد أنها تستطيع خدمة ثورتنا، ولنُحقِّق عبر كل الأساليب والوسائل المشروعة أهدافنا، على أن تكون وفق الضوابط المفصلة في الشريعة الغرَّاء؛ لأن الغاية لا تبرر الوسيلة.

ونحن نُهندِس للثورة، فلنَعِ نداءها.. إنها دعوة لتحمُّل المسؤولية ومواجهة الضلالة ومقاومة الانحراف، وأن نفزع للمنقذ وصاحب اليد العليا؛ فليس لأحد أن يحصر أُسلوبًا في العمل، أو طريقةً في الجهاد، أو نمطًا في الكفاح، فَيَسْلُب غيره شرف الدفاع عن دينه أو يُقْصيه من موقعه.

ونحن نُهندِس للثورة، فلنُراعِ فقه الواقع سعةً وامتدادًا.. نحن في مُهِمَّة مُحدَّدة مؤقتة؛ فليس لأحد أن يفرض قراءاته، أو يُعمِّم تشخيصاته، أو يُوجِب حُجَجَه الشرعية، أو يُرجِّح قناعاته، على غير نفسه، إلا في حدود النصح والإرشاد، وكليَّات الفقه وعمومياته.

أَوَتدري أخشى ما أخشاه؟ ليس من فخاخ النظام الدولي أخشى، بل غدر الداخل، مِمَّن يُحْسَبون علينا ويَفزعون البَليَّة أن تصطلمهم؛ بملء الفم أُذيعها: إنكم شيعة، والأمر يخص الرافضة!

***

اللامركزيـة.. حـذر الهـلاك والإبـادة

الساحة مُنهَكة والجموع مُحبَطة، والجياد كبت والإقدام أُحْجِم، وبين نُومة ومُضْرِب ومُعتَزِل، ولا سيما بعد فشل اللَّصيقة وتَعثُّر الأدعياء وتَلوُّن العملاء.

سنلتزم اللامركزية؛ حتى لا نُبْتَلى بقتل الجياد بعد كبوتها، وكسر السُوق بعد إقدامها، فينبَري لائم بأنت السبب! وحتى لا نصنع مثل دانتون وروبسبير، نأكل أبناءنا بعد قطع دابر الظَّلَمَة وإقامة الأمْتِ والعِوَج، وعند الامتحان يُكرَم المرء أو يُهان.

لَّما رِمْت تنظير اللامركزية أساسًا للثورة، طَفِقت اقرأ عن قدرات «**سلسلة الكُتَل**» (Blockchain) في تأمين نزاهة المعاملات؛ عبر رفعها للحُجُب بين الأطراف وإلغاء الوساطة، فهي بعبارة بسيطة: سجل قاعدة بيانات مُوزَّع (لامركزي) ومفتوح المصدر، تُخزَّن فيه جميع المعاملات التي تمَّت، ومشاركتها بين الأطراف المعنية، دون إدارة أو توسُّط طرف، وما يجعلها غير ممكنة التزوير والتلاعب والإتلاف، هو تكرار الكتل لنفسها باستمرار دون توقُّف.

وبالتأمُّل في هذه الفكرة، استحضرت معنى «**الحديث المتواتر**» في علم الحديث: سلسلة من الرواة كثيرة، يُمتنَع عقلًا تواطؤهم على الكذب في نسبة الحديث إلى أصله؛ ما يورِّث اليقين والعلم بصدوره لفظًا أو معنًا.

هذه المنظومة، تُخلِّصنا من الحاجة إلى تنظيم عمودي هرمي وقادة يُديرون عناصر الثورة، هذا إن كان الغرض من القادة هو الرقابة الوصائية وتوجيه العناصر لإتمام

مهـامهم بنجـاح وفـق المبـادئ المخطوطـة سَـلَفًا، وسَتُصـيِّر ثورتنـا إلى ذاتيـة ومسـتقلة بالكامل عن مؤسِّسها وعن أي فرد أو كيان.

***

لا تأملوا الفتح من غير صاحبكم

من هنا، لستُ «**دون كيشوت**»، بين ليلةٍ وضحاها، أحسب نفسي في مهمة مقدسة؛ فأصارع الغيلان وأنطحها في هيجاء خيالية، فما ذَكَرْته من نكسة إنسانية تُسبِّبها الحضارة الغربية لا يعدو كونه حقائق يراها الجميع، وعدوًا حقيقًا نعرفه كلنا، وبصفتنا مخلوقات أخلاقية، فإن الواجب الأخلاقي يُحتِّم علينا إزالتها، ليس لمصلحة أنفسنا فحسب، بل لمصلحة البشرية أجمع.

لا يُناسِب هذه النكسة إلا الأسلوب الثوري في التنفيذ، وإن تم، فيعني انفراجة ومساحة لا يُعادِلها شيء لظهور صاحبنا.

طغيانهم وتماديهم، هو الوقود وما أيقظ الفكرة من سُباتِها، وقد تكون حياتي قبلها ليست كحياتي بعدها، وإذا لم يكن بُدٌّ من التضحية فَلتكُن، ولكني أخشى ألا يُحرِّك كلامي ساكنًا فأكون بذلك منتحرًا، وحيطة أن يكون كذلك، كان الخطاب والمُخطَّط للأفراد وليس للجماهير و«**عقلية الحشد**»، احتراس أن أكون من صُنَّاع الإثارة؛ لأن الجماهير تُحرِّكها الإثارات اللحظية، وتُدمِن الشعارات، تُردِّدها وتُكرِّرها وتؤكِّدها، تتجمَّع وتخمد بعد مُدَّة، فتُغذَّى بإثارة أخرى وشعار آخر، فتنقاد مرةً أخرى رُغمًا عنها وهكذا، وأما بناء الأفراد يعني بناء النُخَب؛ لأنها تُفكِّر وتستنتج وتَنْتَقد وتُطوِّر، لا تستعير مواقفًا فتتحرَّك بناءً عليها كما تلك.

بِـنَفَسٍ طويـل، سَـتُنَفَّذ الفكـرة، وسـيعود مجـدنا عـلى يـد مجاهدينـا الربَّـانيين المصـلحين، الـذين لا يـأملون فتحًـا مـن غـير صـاحبهم المؤمَّـل لإحيـاء الدولـة الشريفــة، والـذين سيُحَقِّقون حلمنا القديم: العـام القـادم في مكـة!

***

المحتويات

***

صدر للمؤلف:

* عكازة مستحمِر (2018م)
* عمامة مسترجَعة (2019م)
* قيامتنا والأخ الأكبر (2022م)
* بقية السيف (2022م)
* نصوص في المسألة الكويتية (2022م)

سنتـان من الانبهار بمغشوش والاندماج بزائف، تعرَّفت فيها على عدو جديد كنـت أجهـل أمـره، ثم استسهلـت خطـره، فتنبَّهـت وفَطِنـت.

لسـت «دون كيشـوت»، بين ليلـةٍ وضحاها، أحسب نفـسي في مهمـة مقدسة؛ فأصـارع الغيـلان وأنطحهـا في هيجـاء خياليـة.

بِنَفَسٍ طويل، سَتُنَفَّذ الفكرة، وسيعود مجدنا على يد مجاهدينا الربَّانيين المصلحين، الذين لا يأملـون فتحًـا من غير صاحبهـم المؤمَّـل لإحيـاء الدولـة الشريفـة، والذيـن سيُحَقِّقـون حلمنـا القديـم: العـام القـادم في مكـة!

Printed and Bound in Great Britain

A CIP record for this title is available from the British Library

ISBN 978-1-7396143-2-4

First Edition: United Kingdom, January 2022

Second Edition: United Kingdom, July 2022

Autobiography/Political Manifesto

Published by the Upper Hand Organization

www.upper-hand.org